Gracias al Campamento de Preescolar y al Centro de Aprendizaje
del Centro Comunitario Claudio Marzollo de Philipstown, N.Y.
— J.M.

Gracias a Polly Townsend y al Taller
de Padres e Hijos de la Biblioteca Desmond-Fish
— W.W.

Originally published in English as a board book under the title *I Spy Little Animals*

Translated by J. P. Lombana

ISBN 978-0-545-49850-0

12 11 10 9 8 7 6 5 4 3 2 1   13 14 15 16 17 18/0

Printed in the U.S.A.   40

First Spanish printing, January 2013

VEO
ANIMALES

Rimas de Jean Marzollo

Fotografías de Walter Wick

SCHOLASTIC INC.

Veo

un pájaro

y un globo que vuela.

Veo

una tortuga

y una cuchara dulcera.

Veo  un caballo

y un pato amarillo.

Veo

un elefante

y un camioncito.

Veo

una bicicleta

y un perro de peluche.

Veo

un hidrante

y un gato en un estuche.

Veo  un caballo

y un autito para jugar.

Veo

una puerta

y una estrella de mar.

Veo

un pez

y un perro en dos patas.

Veo

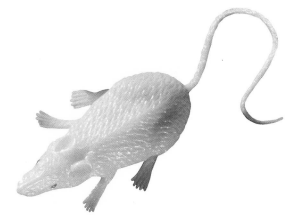

un ratón

y una rana que salta.

Veo

un pato,

un teléfono

y un árbol de madera.

Veo

un conejo blanco
junto a una escalera.

Cuando termines, vuelve al comienzo y busca...

un conejo

dos peces

un panda con una pelota

¿Qué más puedes ver en este libro?

un leopardo

una lagartija

una oveja

No te pierdas

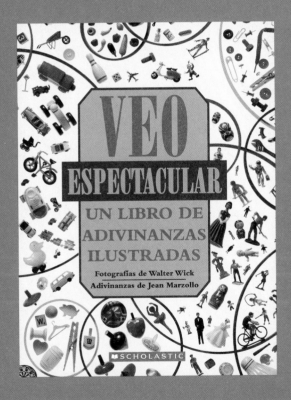

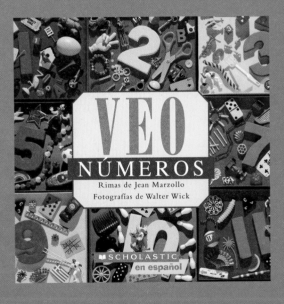